齋藤 孝

マンガでおぼえる

品格のある知的な日本語

岩崎書店

はじめに

今回のテーマは、なんと「品格のある知的な日本語」！すごいテーマだね。

ふだん、自分がどんな言葉を使っているか、意識してみたことはあるかな？

友だち同士のときは、「うん、いいね！」「そっか、それもアリだよね！」という、くだけた言葉を使っているんじゃないかな。

でも、もちろん先生には「おはようございます」「失礼します」とていねいな言葉になるよね。

言葉は、相手によって、また場面によって、それぞれにてきした形で使いわけるものなんだよ。そのうえで、ひとつのことを言うのにも、いろんな言い方ができると、「よく言葉を知っている、知的な人」ということになるんだ。

たとえば、友だちが徒競走で一位になったとき、「すごいね！」と言うのは、ふつうの言い方。

「走ることにかけては、きみの右に出る者はいないね」とか、「走ることでは、他の追随をゆるさないね」と言うと、「知的な言い方」であり、「品格のある言い方」になるんだ。

つまり、ひとつのことについていろんな表現ができるということ、そして、「右に出る」や「他の追随」といった言葉のつらなりを知っていて、それを使いこなせるということが、品格があって知的だ、と見なされるんだね。

この本では、「ふつうの言い方」が、どうしたら「品格のある知的な言い方」になるかがわかるようになっているよ。ひとつの言葉で三つのバリエーションを紹介しているから、ぜひ身につけよう！　そして、明日から学校や家で、どんどん使ってみよう！

この本に登場する人たちのしょうかい

かんなちゃん家族

かんなちゃん
（小4）

かんなちゃんの
ママ

かんなちゃんの
パパ

3人は
なかよし

ゆうかちゃん
（小4）
オシャレさん

さきちゃん
（小4）
スポーツ少女（しょうじょ）

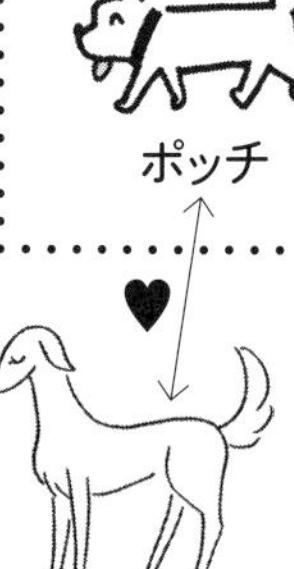

ポッチ

メアリー

かんなちゃんの
おにいちゃん
（小6）

花田三兄弟（はなださんきょうだい）

いちろう（小6）　じろう（小4）　さぶろう（小2）　花田（はなだ）パパ　花田（はなだ）ママ

ゆうかちゃん
ママ

ゆうかちゃん
パパ

山田さんの
おかあさん

山田さん
(小 4)

たくみくんの
おじいちゃん

たくみくん
(小 4)

まりんちゃん
(小 5)

つばさくん
(小 4)
サッカー少年

原家四姉妹

原春奈
(小 6)

原小夏
(小 5)

原秋子
(小 4)

原美冬
(小 3)

先生たち

齋藤先生

学校の
担任の先生

ひろくんの
おじいちゃん

ひろくん
(小 4)

もくじ

はじめに——2
登場人物の紹介——4
この本の使い方——11
おわりに——158

こんなとき

ものすごくうれしいとき——12
たくさんお礼(れい)が言いたいとき——14
自分の手柄(てがら)だとしてもけんそんするとき——16
ものすごくほめてもらったとき——18
あざやかなほど優秀(ゆうしゅう)な人をほめるとき——20
ほめる言葉が見つからないとき——22
ほかの人とはくらべられないくらいすごいとき——24
覚悟(かくご)をもって、決断(けつだん)するとき——26
じゅうぶんに努力して結果(けっか)をまつとき——28
きちんとポイントをおさえているとき——30
勢(いきお)いのあるものを見たとき——32
たくさん努力をするとき——34

言いにくいことを思いきって言うとき —— 36
言ったこと、やったことをわすれてほしいとき —— 38
苦しい思いをしたことを話すとき —— 40
あまりに悲しいとき —— 42
対策が思いつかないくらい、いきづまったとき —— 44
すごく不安なとき —— 46
自分が悪くてあやまるとき —— 48
申しわけなくてはずかしいとき —— 50
ものすごく頭にきたとき —— 52
すごくおどろいたとき —— 54
自分をへりくだって言うとき —— 56
まったくダメダメなとき —— 58
できもしないことを言っているとき —— 62
得意なことをやられてしまったとき —— 64
要点をすばやく言うとき —— 66
ちょっとはなれたところから意見を言うとき —— 68

力が互角で勝ちまけがつきにくいとき —— 70
予想しなかったことが起こったとき —— 72
たくさんあってかぞえられないとき —— 74
「できたら……」というきもちで頼むとき —— 76
教えてもらいたいとき —— 78
えらそうな人に会ったとき —— 80
どっちもどっち、同じとき —— 82
くやしいとき —— 84
頼まれたことをＯＫするとき —— 86
人にものをあげるとき —— 88
言葉で表現できないくらいすごいとき —— 92
仕返しをしたとき —— 94
ゼロになってしまったとき —— 96
ちょっと聞いたことを言うとき —— 98
相手の親切心を受け入れるとき —— 100
一生けんめいなとき —— 102

急いでやると伝えるとき —— 104
技術に自信があるとき —— 106
他人に横取りされたとき —— 108
頼まれたことを断るとき —— 110
言いたいことが言えたとき —— 112
よくわかったね、というとき —— 114
力になりたいと思ったとき —— 116
申しわけないと思いながら人にものを頼むとき —— 120
ゆるしてほしいとき —— 122
未来に希望があるよ、と言うとき —— 124
どうしようもないことをやってしまったとき —— 126
ものごとがずっと続いているとき —— 128
言うまでもないとき —— 130
相手にわかってほしいとき —— 132
話のじゃまをされたとき —— 134
悪いことがばれたとき —— 136

強く思ってわすれないようにするとき —— 138
一段と成長しているとき —— 140
なかったことにして元にもどすとき —— 142
ずうずうしいとき —— 144
つかれきったとき —— 146
落ちこんでいる様子のとき —— 150
無関心な人になにか言うとき —— 152
ぜったいに言わないとき —— 154
負担やなやみがなくなって安心しているとき —— 156

1 きまった言い方やあいさつでよく使われる言葉 —— 60
2 使えたらかっこいい！　カタカナ語 —— 90
3 手紙で使う言葉 —— 91
4 聞かれたらしっかり答えよう！　座右の銘 —— 118
5 面接で使う言葉 —— 148
6 人間関係を円滑にするための言葉 —— 149

この本の使い方

最初に出てくる言い方は「ふつうの言い方」。つぎに出てくる三つの言い方は「品格のある知的な言い方」。それぞれにつけたスタンプは、その言い方の印象。まるで武士が言いそうな言い方は「武士かっ！」になっているよ。楽しみながらおぼえよう。

先生に言ったらおどろくよ

大人に言ったらよろこぶよ

あらたまったときに使いたい

ここぞ、というときに使おう

キリッと言ってみよう

友だちに言ってみよう

ふつうの言い方

品格のある知的な言い方

解説

むずかしい言葉がたくさん出てくるので、その言葉の意味や使い方を説明。ほかの言い方も紹介しているよ。

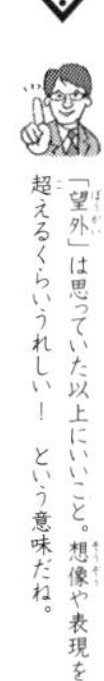

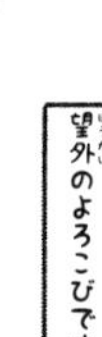

ものすごくうれしいとき

「超（ちょう）うれしい！」

「それは望外（ぼうがい）のよろこびです」

品格あり

「うれしくて感極まりました」

上品!

「思いもよらない結果です」

「望外」は思っていた以上にいいこと。想像や表現を超えるくらいうれしい！　という意味だね。

数分後、きせきがおこり、たくみくんの一本勝ち！

おめでとうございます。ひと言お願いします！

望外のよろこびです

カシャカシャ

ウゥ〜

たくみかっこいい！

2

たくさんお礼が言いたいとき

「すっごくありがとう」

「感謝の念にたえません」

「心から謝意を表します」

「ありがたき幸せに存じます」

「謝意」には、「感謝」と「謝罪」の両方の意味があるよ。「ありがとう」というきもちが心の底からわいてくるような言い回しがいいね。

自分の手柄だとしてもけんそんするとき

「いえいえ、それほどでも」

「偶然のたまものです」

「僥倖でした」

「運がよかったんです」

自分の力ではなく、自分以外のなにかのおかげと言いたいときに使うよ。「すごくラッキーだった」というきもちが出るといいね。

2

ものすごくほめてもらったとき

「あっ、どうも……」

「過分（かぶん）なお言葉、ありがとうございます」

シブイ

「おほめいただき、冥利につきます」

「そのように言っていただき、かたじけない」

「過分」とは、「自分にはもったいない」という意味。「かたじけない」も同じような意味で、時代劇でよく使われる言葉だよ。

なんとおれいをもうしあげていいやら。こんなすてきな女の子に会ったことはないわ。ほんとうにありがとう

過分なお言葉をいただき、ありがとうございます

2

あざやかなほど優秀(ゆうしゅう)な人をほめるとき

「すごい人だね」

「打(う)てばひびく人だね」

原家(はらけ)にて…
むずかしいな このもんだい
さんすうが ちょっと 苦手な秋子ちゃん
1

品格あり

「目から鼻へぬけるような人だね」

「あの人は機を見るに敏だね」

物事を理解するのがはやい＝優秀、ということを表している言葉だよ。「一を聞いて十を知る」という言いかたもあるよ。

「なんか、いいですね」

「存在感(そんざいかん)がある ね」

「趣深いよね」

「異彩をはなっているね」

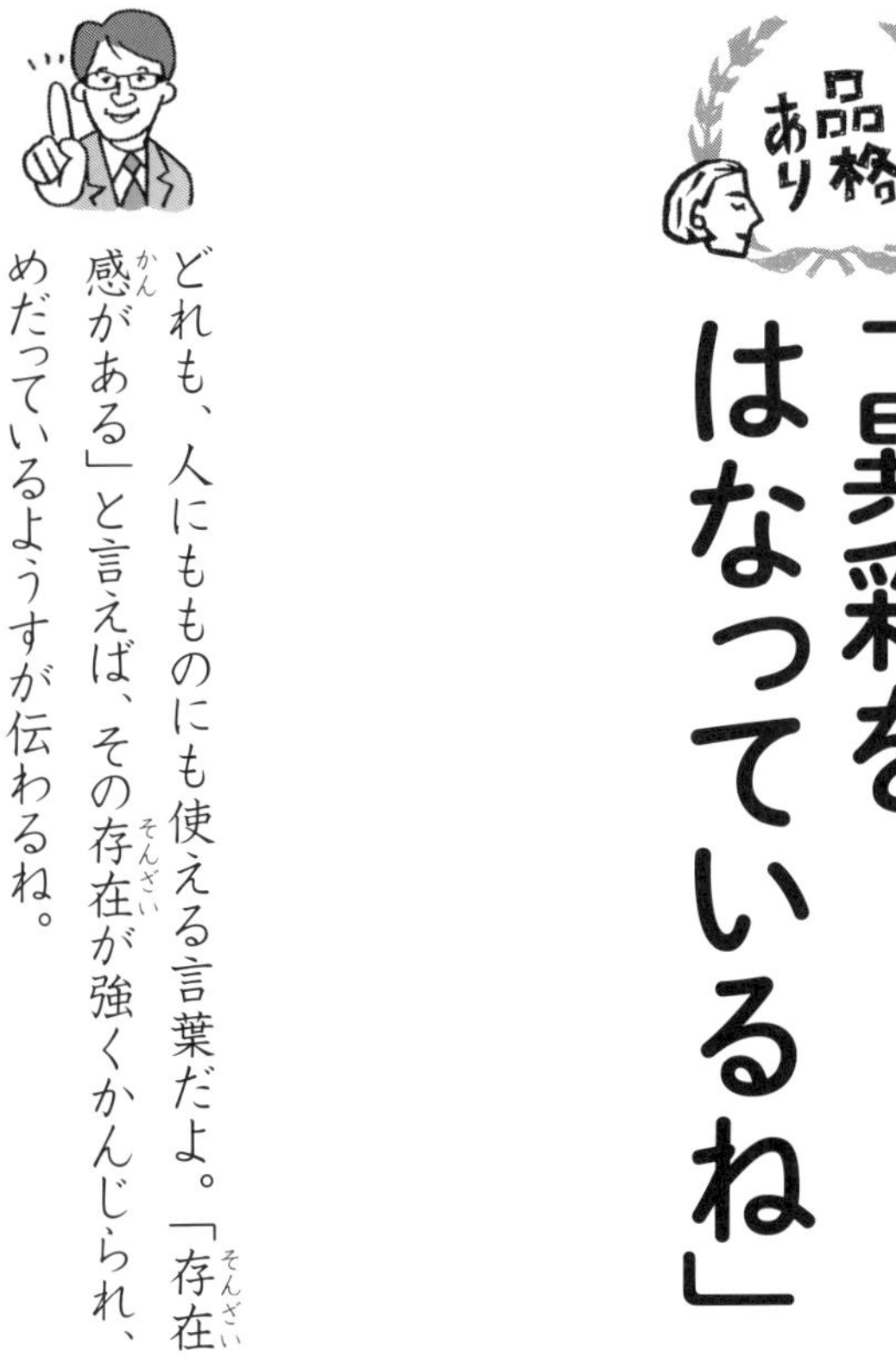

どれも、人にもものにも使える言葉だよ。「存在感がある」と言えば、その存在が強くかんじられ、めだっているようすが伝わるね。

ほかの人とはくらべられないくらいすごいとき

「きみが一番だね」

「きみは押しも押されもせぬ存在だね」

「きみの右に出る者はいないよ」

武士かっ！

「それにかんしては他の追随をゆるさないね」

「一番すごい」という表現のバリエーションを知っておくといいよ。「押しも押されもせぬ」を「押しも押されぬ」とまちがえないようにね！

そして、日本一うまいラーメンを作って、押しも押されもしないラーメン店を開くんだ

…ということで旅のおこづかいを少々いただきたいのですが…

2

覚悟をもって、決断するとき

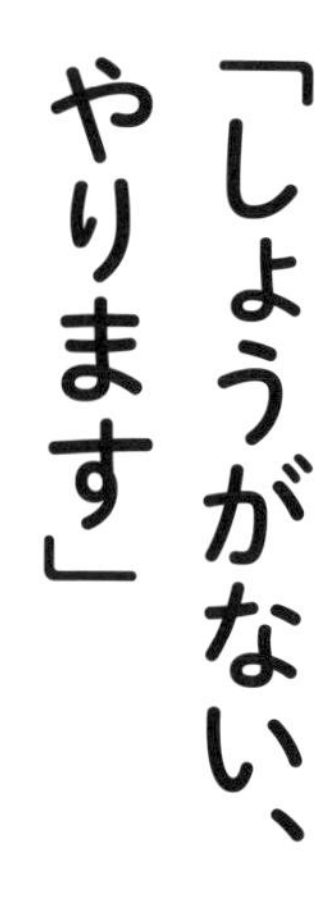

「しょうがない、やります」

「やります。武士に二言はありません!」

「清水の舞台から飛びおりるつもりです」

「身を捨ててこそ浮かぶ瀬もあれ、です」

覚悟の言葉は、大きな声で言うと体の中から勇気がわいてくるよ。「やるしかない!」というきもちを言葉にすることがだいじだね。

じゅうぶんに努力して結果をまつとき

「やることはやった！」

「人事を尽くして天命をまつ！」

品格あり

「運を天にまかせる！」

「全身全霊でやった。悔いなし！」

できることはすべてやった！　あとは「天＝神様」にまかせる！　というときに使う言葉だよ。じゅうぶんにやりきって、すがすがしいきもちだね。

2

きちんとポイントをおさえているとき

「ちゃんとした説明だね」

「簡にして要を得た説明だね」

「的を射た説明だね」

よっ!知的!

「かゆいところに手がとどくような説明だね」

「的を射る」は、「当を得た」とも言うよ。よけいなことをせずに、必要なことがきちんとできているときに使う言葉だね。

2

勢いのあるものを見たとき

「調子いいね！」

「破竹の勢いだね！」

「飛ぶ鳥を落とす勢いだね!」

「むかうところてきなしだね!」

勢いのよさを伝える言葉。「破竹の勢い」は、竹が割れるほど急激に伸びていること。「飛ぶ鳥を落とす」なんて、相当なスピードだよね。

2

「がんばります！」

「心血（しんけつ）を注いでがんばります！」

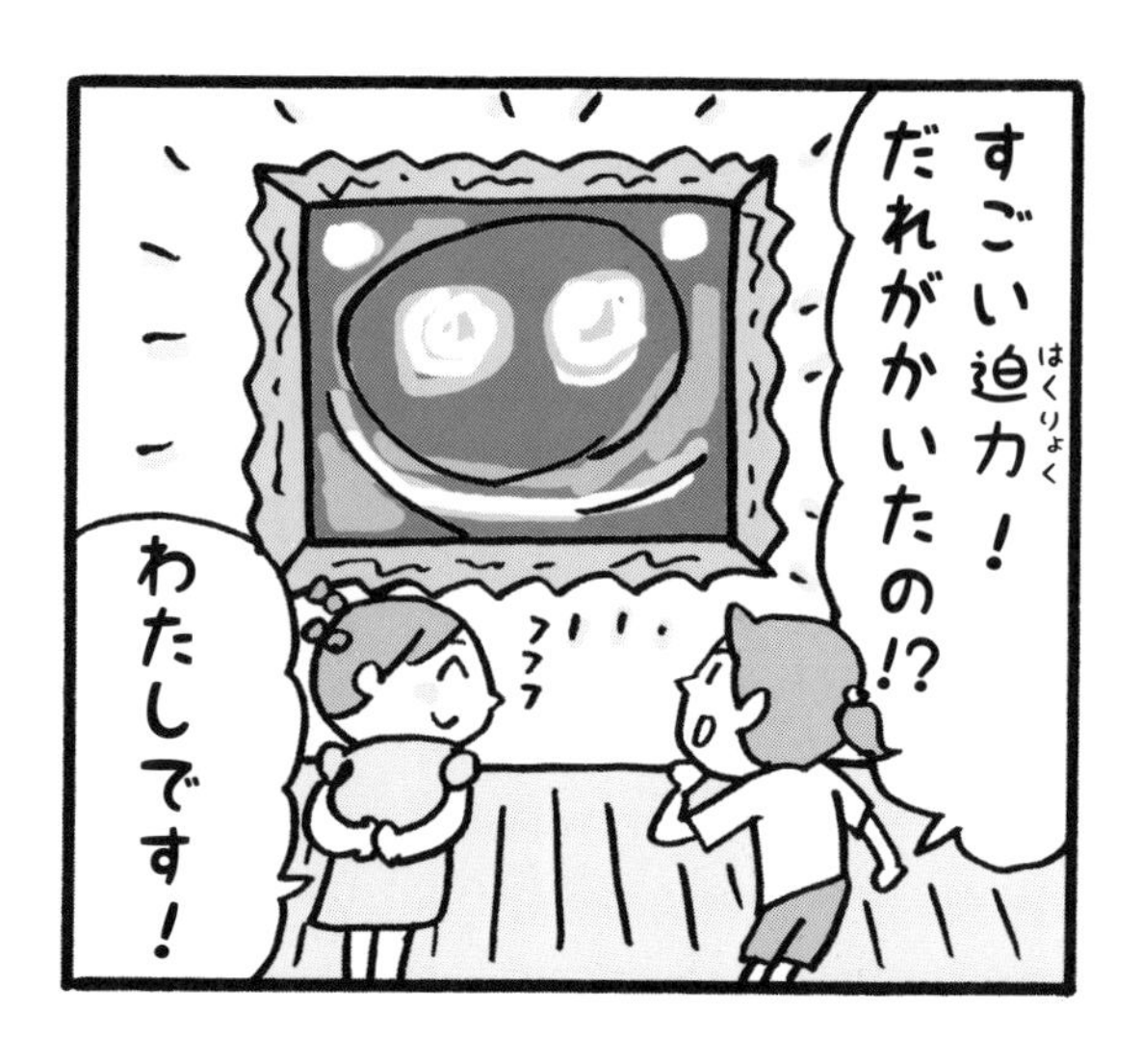

「万難を排して取り組みます！」

品格あり

「尽力いたします！」

「万難を排して」は、どんな困難があってもやる！という意味。「心血を注ぐ」は心と体のありったけを尽くすという意味だよ。

心血を注いでかきました！

だけどきいて！パパのスパルタ特訓があったのよ！デッサンをまいにち百まい。もうつらかった……

はいはい…

パパは画家です
2

言いにくいことを思いきって言うとき

「あの……」

「つかぬことをうかがいますが……」

品格あり

「口はばったいのですが……」

シブイ

「大変おこがましいのですが……」

「つかぬこと」は急に話をかえるとき、「口はばったい」は自分の力より大きなことを言うとき、「おこがましい」はなまいきに見えそうなときに使うよ。

言ったこと、やったことをわすれてほしいとき

「あの……、わすれてください」

「どうか、ご放念(ほうねん)ください」

上品！

シブイ

「さきほどのことはお気づかいなく」

「なにとぞ、それは忘却のかなたに……」

「放念」は心にかけないこと。「忘却のかなたに」なんておもしろい言葉だけど、そう言うからには、よほどわすれてほしいことなんだね。

2

「つらかった……」

「辛酸をなめる思いでした」

「苦汁をなめる経験をしました」

シブイ

「ずいぶんと臥薪嘗胆しました」

「辛酸」は苦労、「苦汁」は苦い経験。「臥薪嘗胆」は中国の故事成語で、目的のために長い間、がまんするという意味だよ。

絵が少しずつ売れるようになりましたとさ
ケーキ食べてがんばって!
はい
ママからきいた話です
2

あまりに悲しいとき

「悲しいです」

「悲嘆（ひたん）にくれています」

「哀惜の念にたえません」

「傷心の日々を送っています」

「悲嘆」は悲しみ嘆くこと、「哀惜」は悲しみ惜しむこと。「〜の念にたえない」は、〜の思いをがまんできないという意味だよ。

対策が思いつかないくらい、いきづまったとき

「どうしたらいいか困っています」

かっこいい！

「暗礁にのりあげています」

さっきまで順調だったのに…。強いてきがでてきてクリアできない…
ピッ
がー
カチャ
カチャ
1

シブイ

「頓挫してしまいました」

よっ！知的！

「袋小路に入りこみました」

「暗礁」は、海の中にある見えない岩のこと。「頓挫」はつまずくこと。「袋小路」は行きどまりの路地のことだよ。

すごく不安なとき

「不安なんです」

「とても心もとないきもちです」

お母さんに買物をたのまれたさぶろう
ちょっとまて、さぶろう!
おまえひとりじゃ心もとない
オレも行く
…
グッ
1

上品！

「本当に生きた心地がしません」

品格あり

「憂慮（ゆうりょ）の念（ねん）にたえません」

「心もとない」は、頼（たよ）るものがないときや、きもちが不安定なときに使う言葉だよ。「憂慮（ゆうりょ）」は心配すること。読めるようにしておこう！

自分が悪くてあやまるとき

「すみません」

「わたしの不徳(ふとく)のいたすところです」

「おわびの言葉もありません」

かっこいい!

「申し開きができません」

「申し開き」は言いわけのこと。どの言葉も反省してあやまる言葉だね。

申しわけなくてはずかしいとき

「ごめんなさい、はずかしいです」

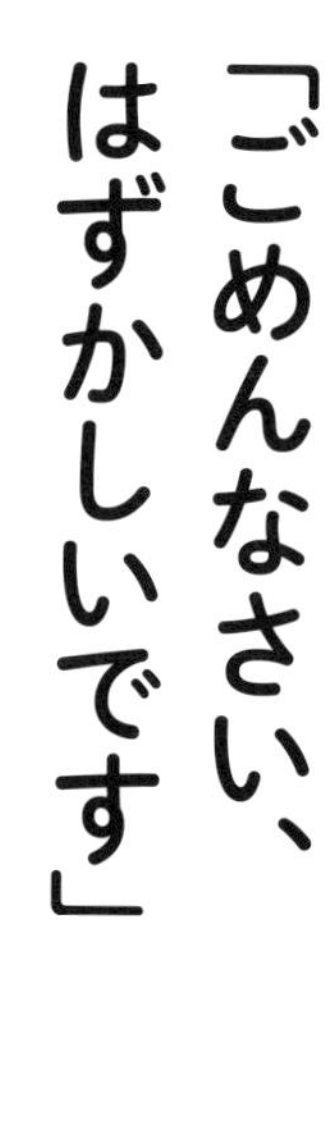

「面目(めんぼく)ありません」

「合わせる顔がありません」

「あながあったら入りたいです」

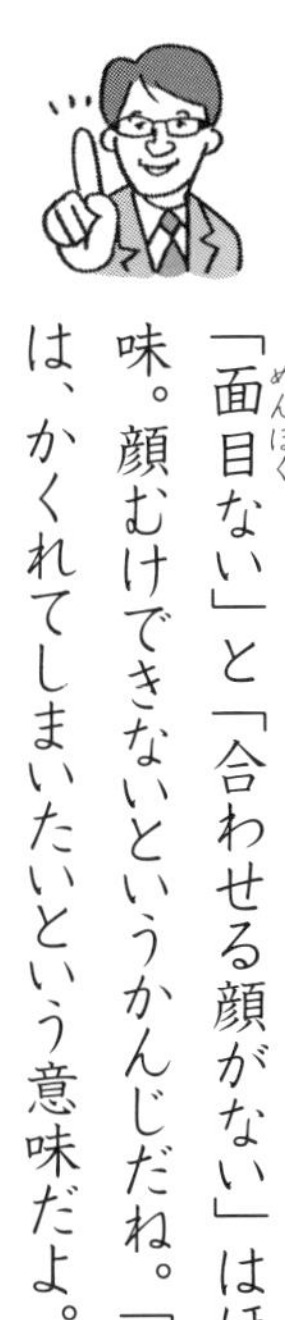

「面目ない」と「合わせる顔がない」はほぼ同じ意味。顔むけできないというかんじだね。「あなが〜」は、かくれてしまいたいという意味だよ。

ものすごく頭にきたとき

「ムカついた！」

「腹(はら)にすえかねたよ！」

武士かっ!

「憤懣(ふんまん)やるかたなし!」

かっこいい!

「はらわたが煮(に)えくりかえるよ!」

「はらわた」は内臓(ないぞう)のこと。なんでも「ムカつく」と言う人が多いけれど、うんとおこっているときはこんな言葉を使ってみよう!

すごくおどろいたとき

「びっくりした！」

「二の句がつげないよ！」

「あいた口がふさがらないよ！」

よっ！知的！

「言うべき言葉もないよ！」

「二の句がつげない」は、おどろいて言葉が出てこないという意味だね。

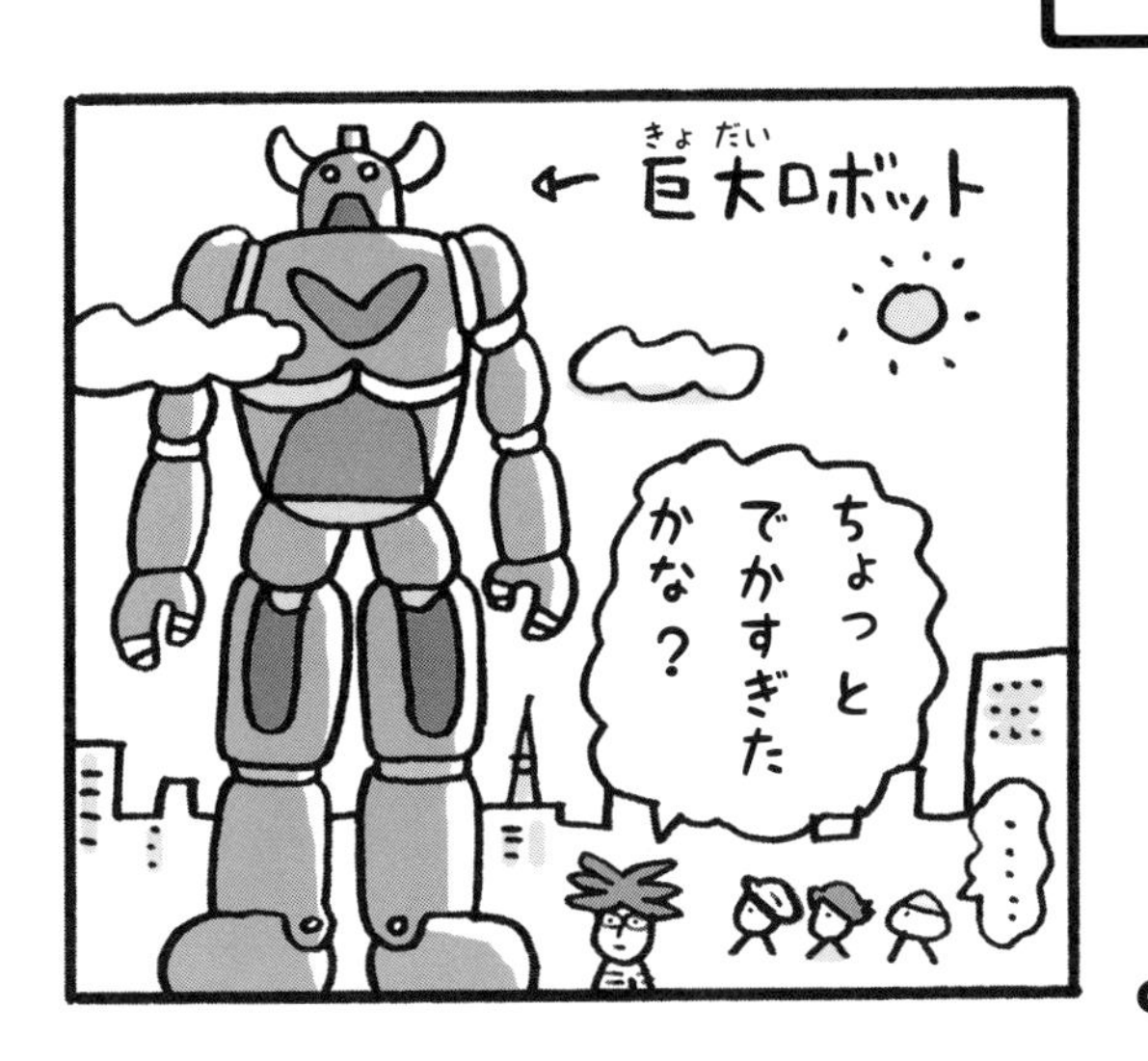

自分をへりくだって言うとき

「たいしたことではないのですが……」

「手前(てまえ)みそですが……」

「せんえつですが……」

品格あり

「不肖（ふしょう）わたくしが……」

「手前（てまえ）みそ」は、自家製（じかせい）のみそをじまんするという意味。「およばずながら」「いたらぬ点もありますが」という言い方もあるよ。

まったくダメダメなとき

「ぜんぜんダメだったよ」

「はしにも棒(ぼう)にもかからなかったよ」

「鼻(はな)もひっかけられなかったよ」

上品!

「話にならないと言われたよ」

「はしにも棒(ぼう)にも」は小さいはしでも大きな棒(ぼう)でもあつかいようがないということ。どの言葉も「どうにもダメ」という意味だよ。

きまった言い方やあいさつで よく使われる言葉

おいわいをするとき、おせわになるとき、おくやみを言うときなど、きまって使われる言葉があるよ。大人たちが使っているのを聞いたことがあると思うけれど、機会があったら使ってみよう。

●おめでたいときのかんぱいのあいさつ

「みなさまのご健康と
ますますのご発展に
……かんぱい！」

「みなさまのご多幸を祈念して
……かんぱい！」

●おせわになるときのあいさつ

「ふつつかものではございますが、
どうかよろしくお願いいたします」

「いたらぬ点も多々ありますが、
どうかよろしくお願いいたします」

●天気を切り口に話しはじめるとき

「（晴れている日のあいさつ）
本日はお日がらもよく……」

「（雨が降っている日）
本日はお足元の悪い中……」

「暑さ寒さも彼岸までと申しますが……」

●相手に来てほしいと言うとき

「万障おくり合わせの上、ご参加ください」

「ご多忙のところ恐縮ですが、
ご参加ください」

●おそうしきのときのあいさつ

「このたびはご愁傷様でございます」

「どうかお力落としのないように
してください」

●新年のあいさつ

「新春のおよろこびを申し上げます」

「つつしんで、新年のおいわいを
申し上げます」

●年末のあいさつ

「よいお年をおむかえください」

「今年一年、お世話になりました」

●目上の相手を思いやるとき

「おかぜなど、めされませんように」

「くれぐれもお体を大切に
なさってください」

「季節の変わり目ですので、
ご自愛ください」

できもしないことを言っているとき

「ずいぶん大きいことを言うね」

かっこいい！

「大ぶろしきをひろげるね」

にいちゃんはしょうらい、なにになりたいの？
そうだなぁ、やろうと思えばなんでもできちゃうからなぁ…医者かパイロットかな
1

武士 かっ!

「はったりをかましてるね」

シブイ

「大口をたたいているね」

「大ぶろしき」とは、現実につりあわないような大げさな話をすること。「ほらをふく」という表現もあるよ。

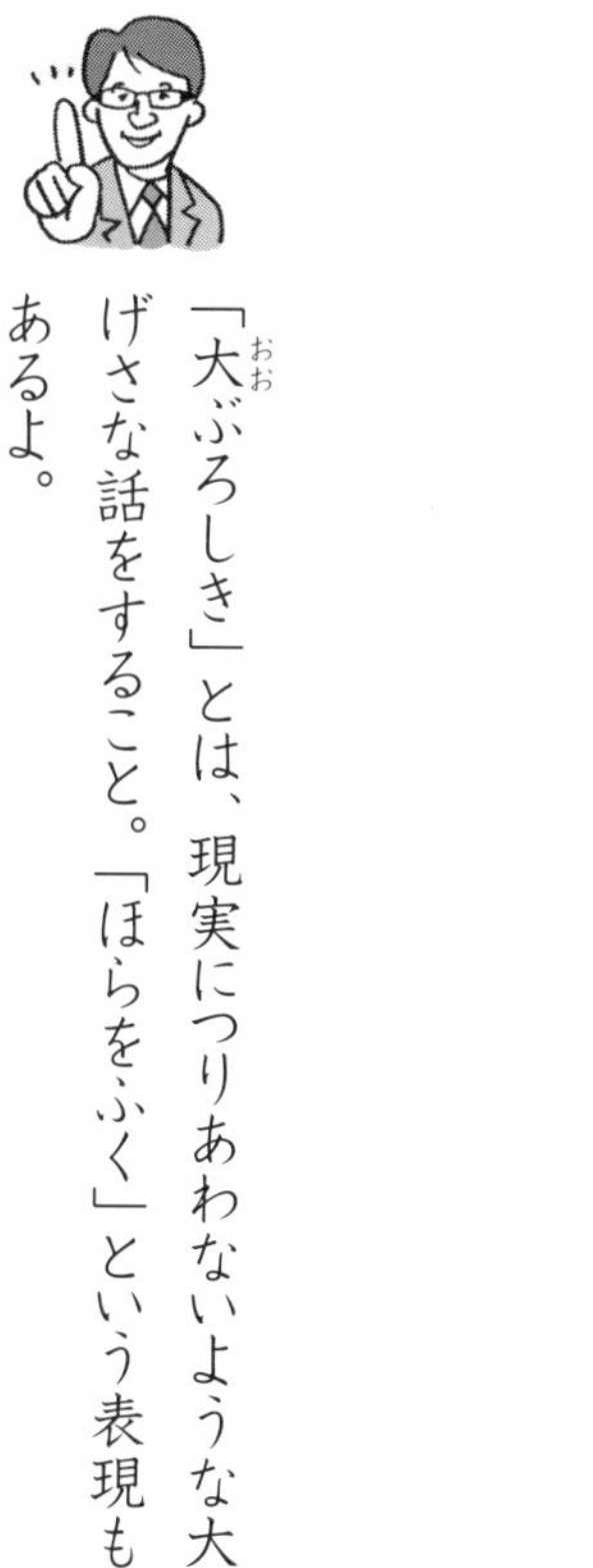

得意なことをやられてしまったとき

「やられたよー」

「お株をうばわれたよ」

「先を越されたよ」

武士かっ！

「後手に回ったよ」

「お株」はその人が得意とするわざのこと。「お株を取る」とも言うけれど、「お株をぬすむ」とは言わないよ。

要点をすばやく言うとき

「まとめると……」

「端的に言えば……」

「要するに……」

品格あり

「単刀直入に言うと……」

「端的」はてっとりばやく、という意味、「単刀直入」はいきなりだいじな話に入ること。

ねむくなるくらい心地よいえいがだったよ

端的に言えば、つまらなかったということだね

THE END.

2

ちょっとはなれたところから意見を言うとき

「つまりさぁ」

「大局的な観点から見ると」

品格あり
「客観的に見れば」

よっ！知的！
「巨視的な視点で言うと」

「大局的」や「巨視的」は物ごとの全体をはあくすること。高いところからながめるという意味で「ふかん的に見れば」とも言うね。

2

力が互角(ごかく)で勝ちまけがつきにくいとき

「どっちも強いね」

「甲乙(こうおつ)つけがたいね」

武士かっ!

「両者、実力伯仲だね」

かっこいい!

「いずれおとらぬ戦いだね」

「勝るともおとらない」とも言うよ。スポーツの実況中継などでよく使われるから、注意してきいてみよう。

予想(よそう)しなかったことが起こったとき

「うそ！ びっくりしたよ」

「青天(せいてん)のへきれきだよ！」

上品！

「寝耳に水だよ！」

「虚をつかれたよ！」

「青天のへきれき」は、晴れた空に突然、かみなりが起こること。「ふってわいたような話だね！」「驚天動地だよ！」とも言うよ。

たくさんあってかぞえられないとき

「すごく多いよ」

「枚挙（まいきょ）にいとまがないよ」

上品グッ！

「十指にあまるほどだよ」

「星のかずほどあるよ」

「枚挙」はかぞえあげること。「十指にあまる」は、十本の指でかぞえられないほどたくさんという意味だね。

「できたら……」というきもちで頼(たの)むとき

「あのぉ、お願いできますか？」

「お手すきのときにお願いします」

武士かっ!

「お願いできましたら幸甚の至りです」

シブイ

「善処いただきたく」

「手すき」は、手があいているとか、ひまという意味。「幸甚」は「非常にありがたい」ことで、手紙文でよく使う言葉だよ。

教えてもらいたいとき

「教えてください」

「ご教示（きょうじ）ください」

シブイ

「ご指導ご鞭撻のほど、お願いします」

「手ほどきください」

「鞭撻」は強くはげますという意味だね。「ご指導ご鞭撻のほど」という、ひとまとまりで使う言葉だから、そのままおぼえておこう。

えらそうな人に会ったとき

「あの人、えらそうにしてるよ」

「天狗（てんぐ）になっているよ」

武士かっ!

「鬼の首を取ったような言い方だよ」

かっこいい!

「鼻高々だね」

「鼻が高い」は、得意げなようすを表すよ。天狗の鼻は高いから、えらそうなことを「天狗になる」と言うんだね。

「にたようなものだね」

「同じあなのむじなだね」

上品！

「どんぐりの背比べだね」

「五十歩百歩だね」

「むじな」は、アナグマやタヌキのこと。大体同じで少しだけちがうことを「大同小異」と言って、これも同じ意味で使うよ。

くやしいとき

「くそ〜っ！」

「ほぞをかむ思いだよ！」

シブイ

「痛恨（つうこん）のきわみだよ！」

「無念（むねん）じゃ！」

「ほぞ」とは、へそのこと。自分のへそをかもうと思ってもかめないよね。それくらいくやしいきもちを表しているんだよ。

頼(たの)まれたことをオーケーするとき

「いいですよ」

「異存(いぞん)はありません」

「承（うけたまわ）りました」

「やぶさかではありません」

「異存（いぞん）」とは反対の意見。「やぶさかでない」は「～をためらわない＝やる」という意味。「やってもいいよ」というニュアンスだね。

人にものをあげるとき

「これ、どうぞ」

「つまらないものですが、よかったらどうぞ」

上品！

「ほんのきもちですので、どうぞ」

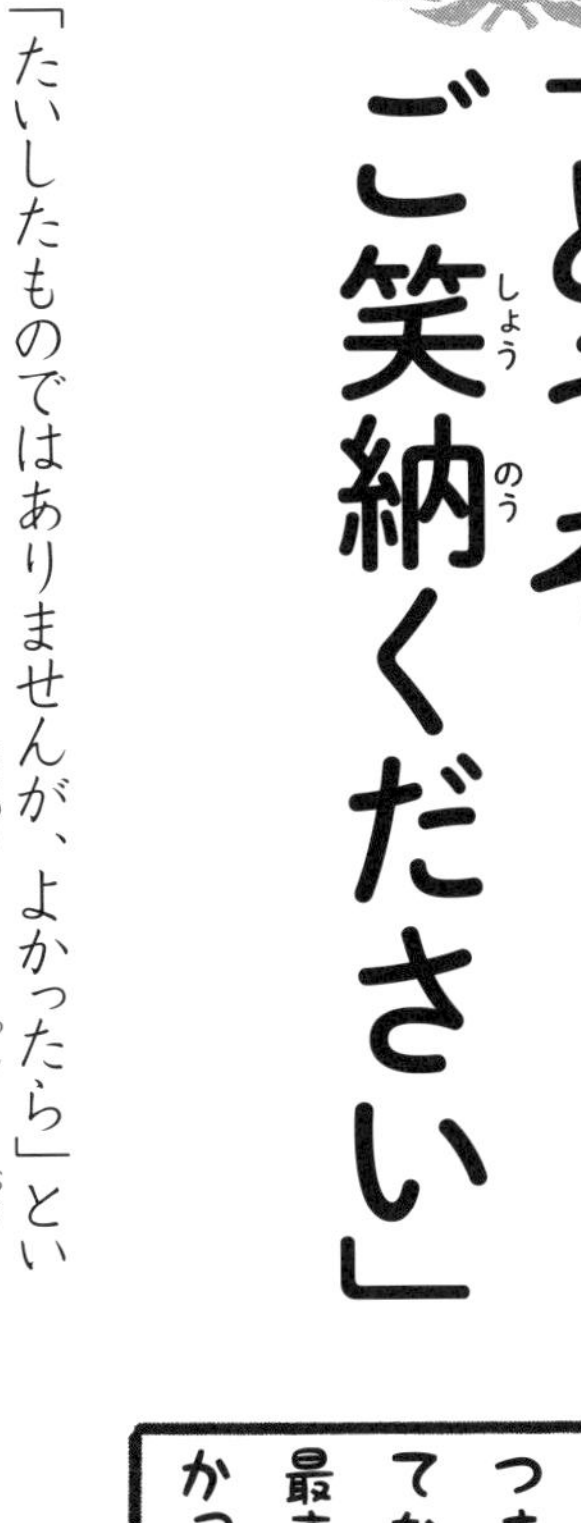

シブイ

「どうぞご笑納ください」

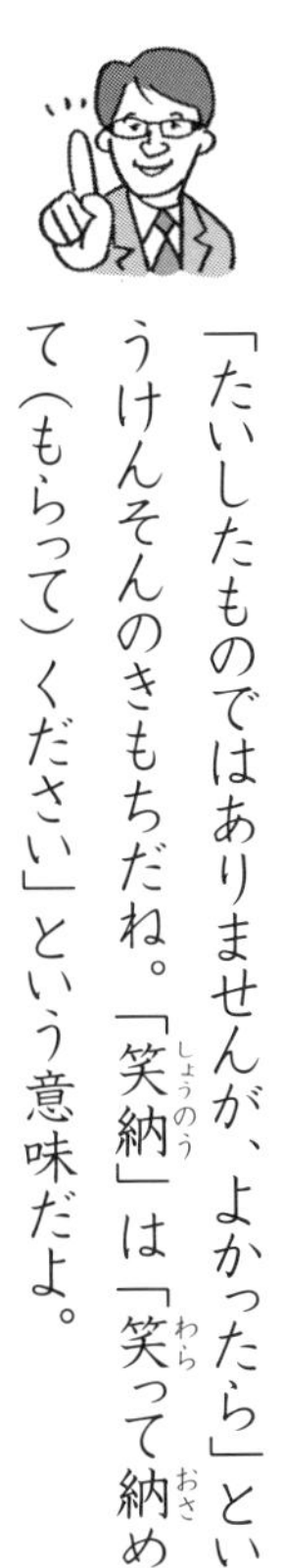

「たいしたものではありませんが、よかったら」というけんそんのきもちだね。「笑納」は「笑って納めて（もらって）ください」という意味だよ。

使えたらかっこいい！カタカナ語

いろいろなところで英語が使われるようになってきているよね。日本語のようにみんなが当たり前に使っている言葉もあるので覚えておこう。英語にした方が意味が伝わりやすい言葉もあるね。

質が高いね
↓
クオリティが高いね

尊敬しているんだ
↓
リスペクトしているんだ

君らしいね
↓
アイデンティティを感じるね

本物みたいだね
↓
リアルだね

すごいね！
↓
ファンタスティック！

かっこいいね
↓
クールだね！

決まりきったかんじだね
↓
ステレオタイプだね

いっしょにやろうよ
↓
コラボしようよ

科学的に証明されているよ
↓
エビデンスがあるよ

ぜったいにやるよ
↓
コミットするよ

ずいぶん集中していたね
↓
ゾーンに入っていたね

それはお得だね
↓
コストパフォーマンス（コスパ）がいいね

見た目がいいね
↓
ビジュアルがいいね

自分の得意なことで戦うよ
↓
自分の**フィールド**で戦うよ

予定を調整してよ
↓
スケジュールを**アジャスト**してよ

手紙で使う言葉

手紙にもきまった言葉があるよ。「拝啓」で書き出したら、終わりは「敬具」。「前略」で書き出したら、終わりは「草々」や「かしこ」など。

前文（最初に書く言葉）

突然にお手紙差しあげます
失礼おゆるしください。

久しくごぶさたして申し訳ありません。

みなさま、お変わりございませんか。

いかがお過ごしですか。

いつもお世話になりまして
お礼の申しようもございません。

このたびは結構な品物をちょうだい
いたしまして恐縮しております。

末文（終わりに書く言葉）

ご自愛ください。

父からもよろしく申し上げるように
申しつかりました。

お返事をいただけましたら
幸せに存じます。

今後ともよろしく
ご指導くださいますよう
お願いいたします。

乱筆乱文をおゆるしください。

言葉で表現できないくらいすごいとき

「うまく言えないけれど、すっごいなあ」

「筆舌（ひつぜつ）につくしがたいです」

上品！

「えも言われぬすばらしさです」

「名状しがたいすばらしさです」

「筆舌」は書くことと話すこと。「名状」は言葉で言い表すこと。「すごい」というニュアンスの言葉をいくつかおぼえておくと便利だよ。

仕返しをしたとき

「やってやったよ！」

「一矢報いたよ！」

かっこいい！

「ひとあわふかせたよ！」

シブイ

「鼻をあかしたよ！」

てきに、一本の矢で少しでもはんげきすることを「一矢報いる」と言うよ。「倍返し」は、やられたことを倍にしてやり返す、という意味だね。

2

ゼロになってしまったとき

「なくなっちゃったよ」

「灰(かい)じんに帰(き)したよ」

「雲散霧消しちゃったよ」

「露と消えてしまったよ」

「灰じん」は燃えがらのこと。「雲散霧消」は雲や霧が消えるようになくなってしまうこと。なやみや苦しみは雲散霧消するといいね。

ちょっと聞いたことを言うとき

「ちらっと聞いたんだけど……」

「仄聞(そくぶん)したところによると……」

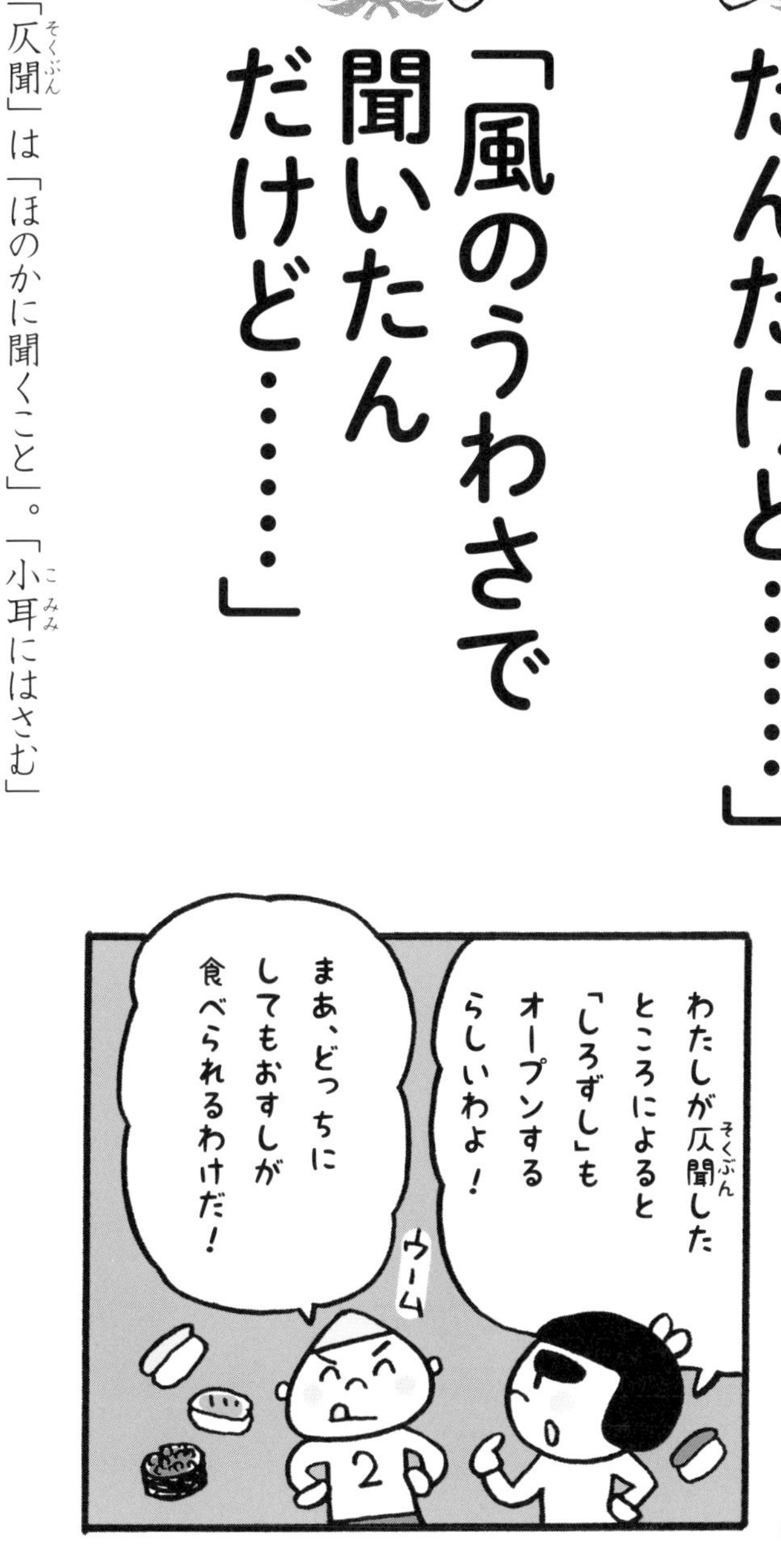

「小耳にはさんだんだけど……」

「風のうわさで聞いたんだけど……」

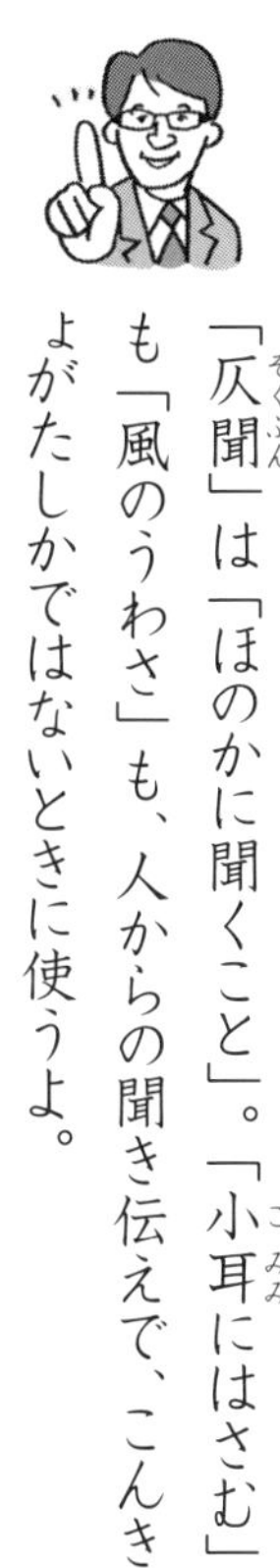

「仄聞」は「ほのかに聞くこと」。「小耳にはさむ」も「風のうわさ」も、人からの聞き伝えで、こんきよがたしかではないときに使うよ。

相手の親切心を受け入れるとき

「では、えんりょなく」

「お言葉にあまえて」

「ご厚意に感謝して」

「恐縮です」

「厚意」は思いやりのこと。人が親切にしてくれるときは、あまりえんりょしすぎず、ありがたく受け入れたほうが人間関係がよくなるよ。

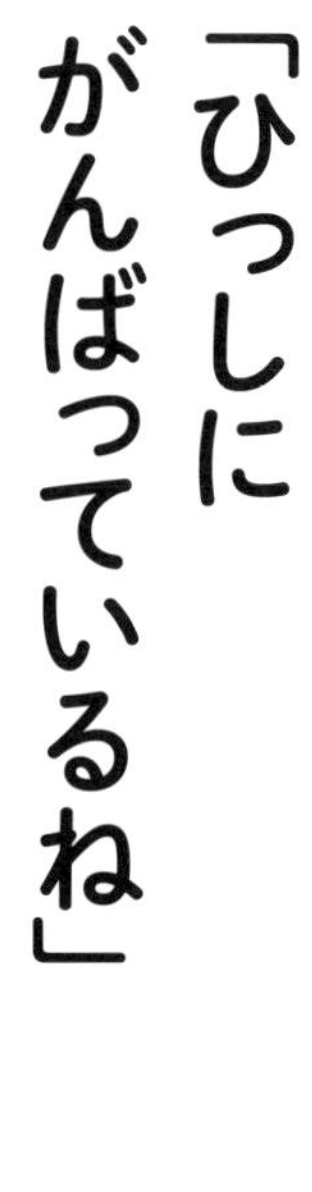

「ひっしにがんばっているね」

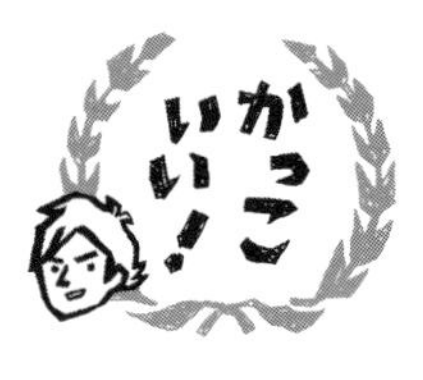

かっこいい!

「余念（よねん）がないね」

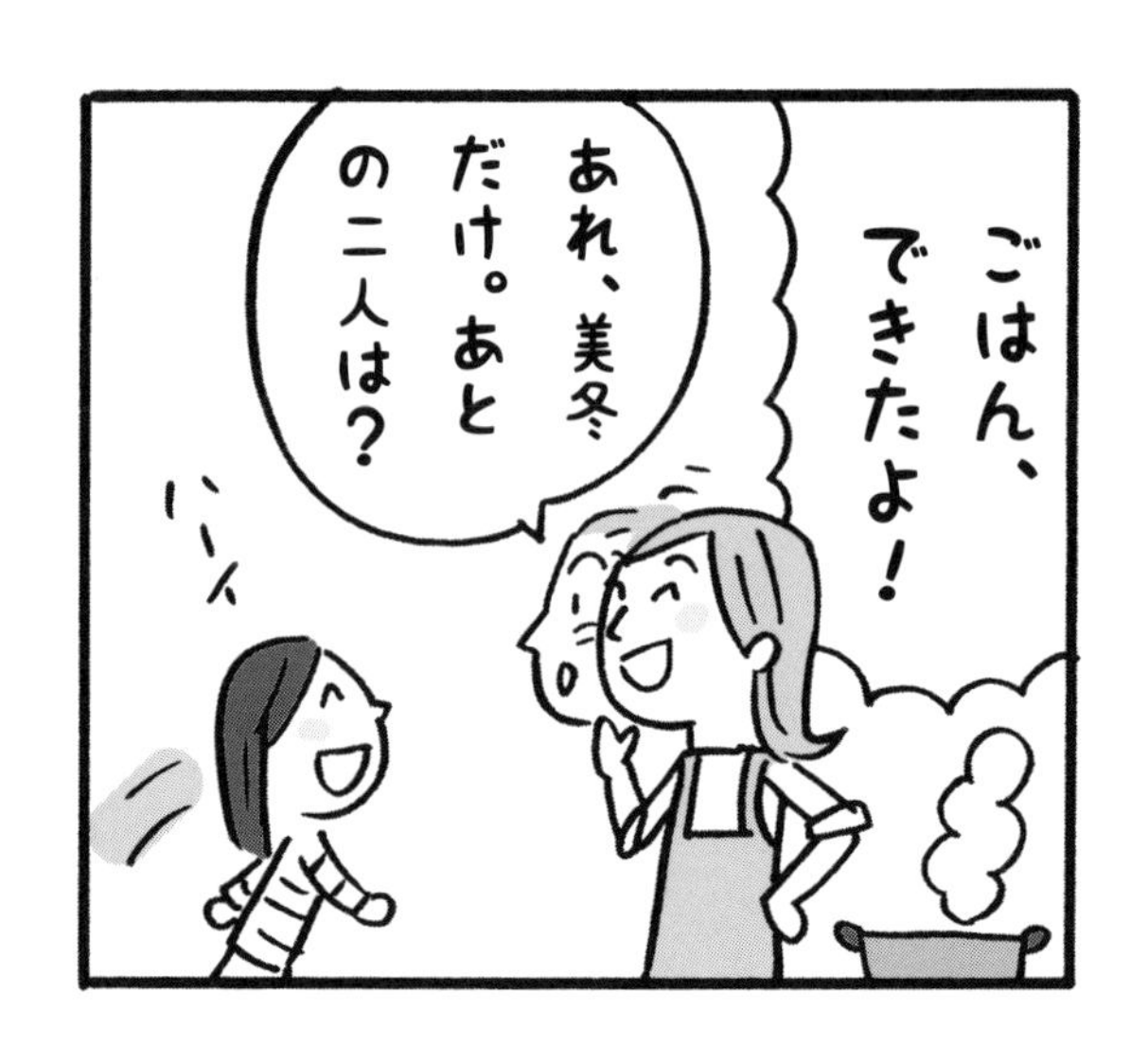

ごはん、できたよ!
あれ、美冬だけ。あとの二人は?
ハーイ
1

シブイ

「骨身(ほねみ)を惜(お)しまずがんばっているね」

武士かっ！

「寸暇(すんか)を惜(お)しまずやっているね」

「余念(よねん)がない」は、ほかのことを考えずにがんばっているという意味。「勉強に身が入る（身を入れる）」も、一生けんめい勉強するという意味だよ。

急いでやると伝えるとき

「すぐやります！」

「可及的速やかにやります！」

1

「迅速にやります！」

「早急にやります！」

「可及的」はなるべく、できるだけという意味。
「迅速」も「早急」も、はやさを表す言葉だから、
言ったらすぐに行動しよう！

技術(ぎじゅつ)に自信があるとき

「前にやったことがあります」

「腕(うで)におぼえがあります」

シブイ

「昔取った杵柄(きねづか)です」

よっ！知的！

「それについては、少々かじっております」

「少々かじって〜」は、本当は自信があるけれど、けんそんして言うときに使うよ。得意(とくい)な様子は「腕(うで)が立つ」という言い方もあるよ。

他人(たにん)に横取(よこど)りされたとき

「とられちゃったよ」

「とんびに油あげをさらわれたよ」

「出しぬかれたよ」

「彼は漁夫の利を得たね」

「漁夫の利」は、二人があらそっているすきに利益を横取りするという中国の教えだよ。「漁夫の利を得る」「漁夫の利を占める」と使うよ。

頼まれたことを断るとき

「できません」

「今回は見送らせてください」

「身にあまるお話ですが、今回はすみません」

よっ！知的！

「お引き受けいたしかねます」

「～しかねる」は「～できない」という意味。頼みを断るときは、直接的な言葉をさけて、やんわりと、できないことを伝えるといいよ。

「スッキリした！」

「溜飲(りゅういん)が下(さ)がったよ！」

1

上品！

「快哉(かいさい)をさけんだよ！」

品格あり

「胸(むね)のつかえがおりたよ！」

「溜飲(りゅういん)」は胸(むね)やけしたときに、のどに上がってくるすっぱい胃液(いえき)のこと。「快哉(かいさい)をさけぶ」は胸(むね)がすっとしてうれしいという意味だよ。

2

よくわかったね、というとき

「アタリ！」

「ご明察（めいさつ）！」

「ご賢察（けんさつ）！」

かっこいい！

「図星（ずぼし）！」

「察（さっ）しがいいね！」とも言うよ。物事を見ぬく力のことは「慧眼（けいがん）」と言うよ。「明察（めいさつ）」も「賢察（けんさつ）」も敬語として使うから、「ご」をつけるんだね。

力になりたいと思ったとき

「手伝います」

「微力(びりょく)ながら、手伝います」

武士かっ!

「一助になれば幸いです」

シブイ

「ぜひ一端をにないたいです」

「すごいことはできませんが、少しでもお役に立てたら」ということ。「微力」「一助」「一端」には、そんなけんそんのきもちがふくまれているよ。

うまく作動しないんじゃよ
微力ながらお手伝いさせていただきます
ほー なるほど
ここをこうして…
2

聞かれたらしっかり答えよう！座右の銘

「座右の銘」とは、自分が大切にしている言葉、自分をいましめたり、はげましたりする言葉のこと。「座右の銘」は、面接などで聞かれることがあるから、なにか一つ「これだ！」と思うものを見つけておこう。

初心わするべからず
学びはじめの新鮮なきもちをわすれてはいけないということ。

おごる平家は久しからず
いばったり勝手なことをする人は、いつかほろびるということ。

鉄は熱いうちに打て
わかいうちによく学び、よくきたえることが大切ということ。

努力は必ず報われる
報われない努力はないから、コツコツと目標に向かおうということ

勝ってかぶとの緒をしめよ

勝ったとしても、おごらずに心を引きしめるべしということ。

聞くは一時の恥、聞かぬは一生の恥

知らないことは、恥ずかしがらずに聞いて学ぶべきということ。

為せばなる、為さねばならぬ何事も

意志を強くもってやればできるということ。

継続は力なり

やり続ければ、実力がついて目標に近づけるということ。

一意専心

わきめもふらず、一つのことに集中すること。

一期一会

たった一度きりである人との出会いを大切にすること。

初志貫徹

はじめにもった信念を、最後までつらぬきとおすこと。

切磋琢磨

友だちや仲間ときそいあい、はげましあいながら成長すること。

申しわけないと思いながら人にものを頼むとき

「すみません、お願いします」

「お使いだてしてすみません」

ワンワンワン！（ご多忙中、すみません。そろそろ散歩につれていってもらえませんか？）
もう散歩の時間か……
メアリーがきちゃうので…

1

上品！

「お手をわずらわせてすみません」

「ご多忙中、お時間をちょうだいしてすみません」

人になにかをしてもらうことは、相手の時間やエネルギーを自分がもらう（うばう）ことだから、その感謝のきもちを言葉にのせることが大切だよ。

2

ゆるしてほしいとき

「ゆるしてください」

「ご容赦(ようしゃ)ください」

品格あり

「ご勘弁（かんべん）ください」

武士かっ！

「どうか、おゆるしのほどを」

「容赦（ようしゃ）」も「勘弁（かんべん）」もゆるす、という意味。「ゆるしてください」と言いにくいときに使ってみたいね。

未来(みらい)に希望(きぼう)があるよ、と言うとき

「これからいいことがあるよ」

「明(あ)けない夜はないよ」

「待(ま)てば海路(かいろ)の日和(ひより)あり、だよ」

「人間万事(にんげんばんじ)塞翁(さいおう)が馬(うま)、だよ」

「やまない雨はない」という言い方もあるよ。「日和(ひより)」や「雨」など、自然のことがらで言われると、すなおに聞けるね。

「どうしようもなかったんだ」

「やむにやまれずやってしまったよ」

「心ならずもやってしまったよ」

かっこいい！

「いやもおうもなくやってしまったよ」

「やむをえず（やってしまった）」という言葉もあるよ。「仕方なかったんだよ」というきもちが伝わってくるね。

2

ものごとがずっと続いているとき

「ずっと続いてるね」

「のべつまくなしだね」

のべつまくなし本を読んでいるけど、たまには外で遊んだほうがいいよ！
うん、そうだね

1

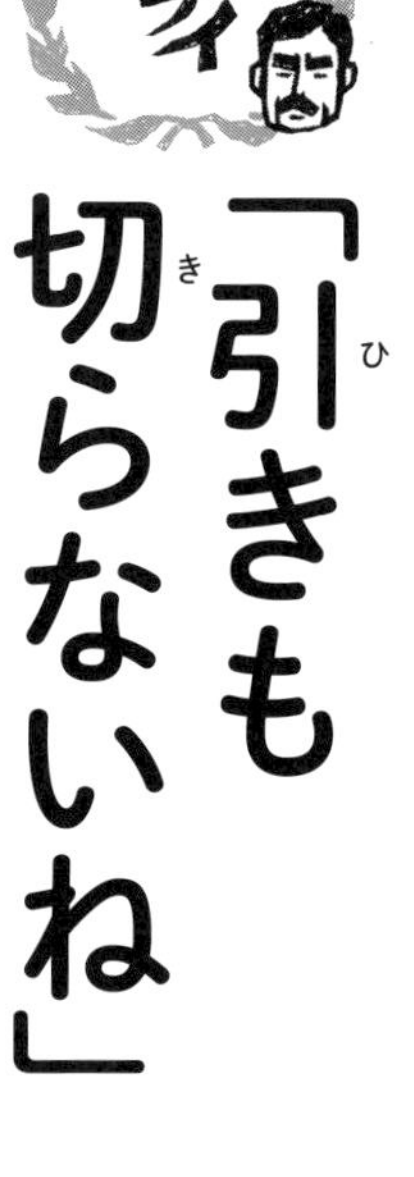

「引きも切らないね」

よっ!知的!

「間断なく続いているね」

「のべつまくなし」は、芝居で幕を引かずに演じ続けている様子のことだよ。「引きも切らない」は、ひっきりなしにということ。

言うまでもないとき

「当然(とうぜん)だよ」

「言わずもがなだよ」

「歴然たる事実だよ」

「一目瞭然だよ」

「歴然」も「一目瞭然」も、明らかであること。説明する必要のないくらい、わかりきっていることは「自明の理」と言うよ。

相手にわかってほしいとき

「わかってください」

「おくみとりください」

よっ知的!

「ご理解ください」

上品!

「おふくみおきください」

「わたしのきもちをくみとってほしい」というときは、「おくみとりください」と言うよ。「おふくみおきください」は「こちらの事情をわかってください」という意味だよ。

話のじゃまをされたとき

「話をさえぎらないでよ」

「横(よこ)やりを入れないでよ」

「茶々を入れないでよ」

「話の腰を折らないでよ」

「話に水をさす」とも言うね。自分の話をしたいときは、相手の話につなげるように、「そう言えば……」と言って続ければ、相手もいやな気がしないよ。

悪いことがばれたとき

「とうとうばれたね」

「馬脚(ばきゃく)をあらわしたね」

「化けの皮がはがれたね」

「尻尾を出したね」

「馬脚をあらわす」とは、かくしていた正体がばれてしまうこと。芝居で、馬のあしの役者が姿を見せてしまうことから。「馬脚を出す」はまちがい。

強く思ってわすれないようにするとき

「ぜったいに
わすれません」

「肝(きも)に銘(めい)じます」

「脳裏に焼きつけます」

シブイ

「心にきざみます」

「肝」は心という意味。「肝に銘じる」は、心に深くきざんでわすれない、ということだよ。

一段(いちだん)と成長しているとき

「すごく成長したね」

「一皮(ひとかわ)むけたね」

「からをやぶったね」

「目をみはる成長をとげたね」

「一皮（ひとかわ）」とは、本質（ほんしつ）をかくしているものという意味。その皮（かわ）がむけると、本来の魅力（みりょく）や能力（のうりょく）が表にあらわれてくるんだね。

2

なかったことにして元にもどすとき

「なかったことにしよう」

「白紙(はくし)にもどそう」

シブイ

「ご破算にしよう」

「水に流そう」

この場合の「白紙」は、なにもなかった元の状態という意味。また、元にもどらないことは、「覆水盆に返らず」と言うよ。

「ずうずうしいね」

「臆(おく)面(めん)もないね」

「不遜な態度だね」

「鉄面皮だね」

「臆面」とは、はずかしがったり、えんりょしたりすること。「鉄面皮」は、鉄でできているような顔の皮のことだよ。「面の皮が厚い」とも言うよ。

つかれきったとき

「クタクタだよ」

「精(せい)も根(こん)もつきはてたよ」

かっこいい！

「あごを出したよ」


上品！

「骨が折れるね」

「精も根もつきはてた」とは、全力でやったので、気力も根気もなくなってしまった、というくらい、つかれたという意味だね。

面接で使う言葉

面接では、ふだんとはちがって、あらたまった言葉を使うようにしよう。

ぼく、わたし
↓
わたくし

お父さん、お母さん
↓
父、母

おじいちゃん、おばあちゃん
↓
祖父、祖母

友だち
↓
友人

そちらの学校
↓
貴校

先生に教えてもらった
↓
先生に教えていただいた

今日、きのう、おととい
↓
本日、昨日、一昨日

今、さっき、後で
↓
ただいま、さきほど、のちほど

だれ
↓
どなた、どなたさま

知っている
↓
存じ上げている

見る
↓
拝見する

言う
↓
申し上げる

もらう
↓
いただく

会う
↓
お目にかかる

失礼します
↓
失礼いたします

人間関係を円滑にするための言葉

言いにくいことも、言葉を工夫すると相手に伝えやすくなるよ。

話の流れを変えるとき

・閑話休題

……脱線した話をもとにもどすときに使う

「閑話休題、さっきの話にもどろうか」

・それはそうと

……話を変えるときに使う

「それはそうと、聞きたいことがあったんだ」

急いだことを伝えたいとき

・矢もたてもたまらず

……したい気持ちをおさえられない

「矢もたてもたまらず、かけつけたよ」

・はせさんじる

……大急ぎで行く（来る）

「連絡をもらって、はせさんじたよ」

反論したいとき

・お言葉ですが

……相手の言ったことについて、自分はこう思うと、ちょっとちがった意見を言いたいとき

「お言葉ですが、わたしの意見はこうです」

・出すぎたことを言う

……余計なことを言うとき

「出すぎたことを言うようですが、ちがうと思います」

・勝手ながら

……自分の都合による判断であるけれど、という意味

「誠に勝手ながら、本日は休業とさせていただきます」

・失礼ながら

……失礼なことを言うが、それでも言わせてもらうというとき

「失礼ながら申し上げますが、ちがうと思います」

落ちこんでいる様子のとき

「ショックを受けているね」

「うなだれているね」

シブイ

「物思いにしずんでいるね」

品格あり

「意気消沈しているね」

「悄然とする」とも言うよ。「物思い」は、悲しいことなどがあり、考えこむこと。落ちこんでいる友だちがいたら「明けない夜はない」と言ってはげまそう。

2

無関心な人になにか言うとき

「ひとごとみたいね」

「あの人にとっては対岸の火事だね」

かっこいい!

「傍観（ぼうかん）しているね」

上品ワザ!

「高見（たかみ）の見物をしちゃってるね!」

「対岸（たいがん）の火事」は、自分には関係ないから、なんのいたみも感じないということ。かかわりたくないから、ただ見ているだけ、というときに使うよ。

ぜったいに言わないとき

「だまっているよ」

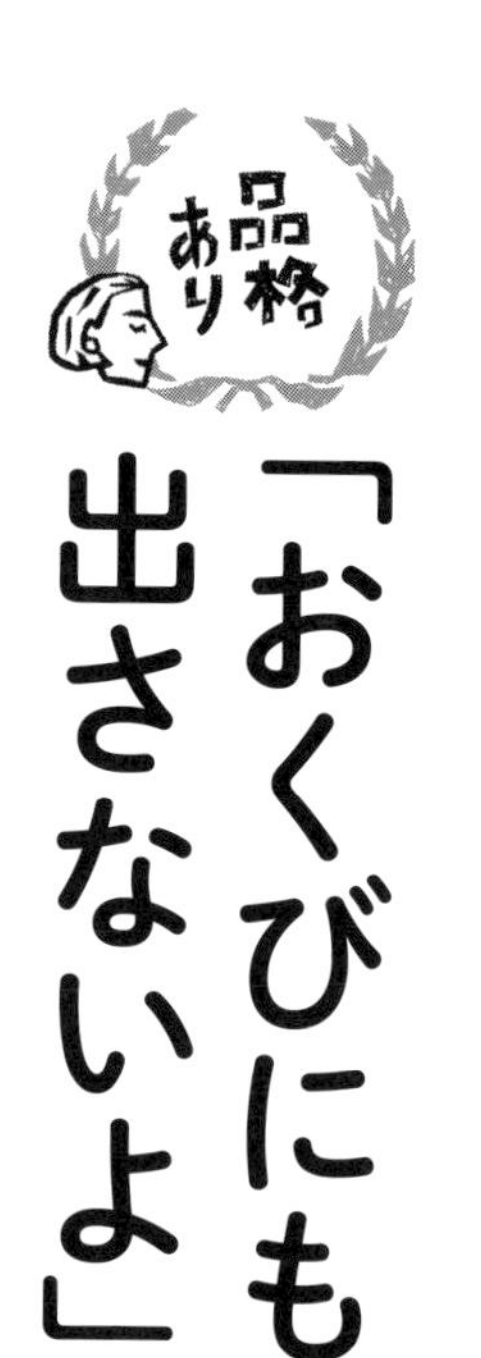

「おくびにも出さないよ」

とうちゃん、苦手な食べものって、なに？
洋風なのは苦手だな。パスタとか、ピザとか、食べる気がしねえ、ハハハ
1

武士かっ!

「他言無用だね」

「石の地蔵をきめこむよ」

「おくび」とはゲップのこと。「おくびにも出さない」とは、そのことをぜったいに言わない、とか、その様子を見せないということだね。

負担(ふたん)やなやみがなくなって安心しているとき

「ホッとしたよ」

「肩(かた)の荷(に)がおりたよ」

「愁眉を開いたよ」

品格あり

「胸をなでおろしたよ」

「愁眉」は眉をひそめること。眉が開くと、ホッとした顔つきになるよね。「眉根を寄せる」は顔をしかめるという意味。眉はきもちを表すことに使うんだね。

2

おわりに

この本を読んでみて、はじめて知った言葉もたくさんあったんじゃないかな？　はじめてであう言葉も、一度使ってみれば自分のもの。まちがいをおそれずに、使ってみよう。

もし、「いつも使っている言葉があった！」という人は、よく本を読んでいる人かもしれないね。本は、自分の言葉をふやしてくれるよ。

「知的」というのは、かならずしも勉強ができることではないよ。テストの点数がいいからといって、「知的」とはかぎらないんだ。

「知的」とは、知性があること。知性を辞書(じしょ)でひくと、

「ものごとを知り、考え、判断する能力」とある。つまり、「知的」とは、自分の頭で考えることができる、ということなんだね。

考えるということは、言葉でおこなうよね。だから、言葉をたくさん知っていて、同じことでもいろんな言い方ができると、広く深くものごとを考えることができるようになるよ。

これからの時代は、決まったことをみんなと同じようにできる人よりも、なにが必要かを自分で考えて、工夫できる人のほうがもとめられる。ますます「知性」がだいじな時代になるんだね。

ここに出てくる言葉は、友だちと会話形式で声に出して言ってみるといいね。

「きみの実力なら、むかうところてきなしだね！」

「いやいや、偶然のたまものだよ」

そんな会話ができるようになったら、きみも品格のある知的な人になれるよ！

齋藤　孝

齋藤孝
1960年生まれ。東京大学法学部卒業。同大学院教育学研究科博士課程を経て、明治大学文学部教授。専門は教育学、身体論、コミュニケーション論。著書に『これでカンペキ！　マンガでおぼえる』シリーズ、『子どもの日本語力をきたえる』など多数。NHK Eテレ「にほんごであそぼ」総合指導。

編集協力
佐藤恵

ブックデザイン
高田明日美（permanent yellow orange）

イラスト
ヨシタケシンスケ（カバー）
漆原冬児（本文）

これでカンペキ！マンガでおぼえる品格のある知的な日本語

発行日　２０１８年12月31日　第１刷発行

著　者　齋藤孝
発行者　岩崎弘明
編　集　田辺三恵
発行所　株式会社 岩崎書店
東京都文京区水道１－９－２
〒１１２-０００５
電話　０３（３８１２）９１３１［営業］
０３（３８１３）５５２６［編集］
振替　００１７０-５-９６８２２
印刷・製本　株式会社光陽メディア

Published by IWASAKI Publishing Co.,Ltd.
Printed in Japan
ISBN978-4-265-80244-9　NDC814

岩崎書店ホームページ　http://www.iwasakishoten.co.jp
ご意見をお寄せください　info@iwasakishoten.co.jp